Le
VER DE VILLE

et le
VER DES CHAMPS

Linda Hayward • Illustration Carol Nicklaus
Traduction Pauline Normand

Avec les personnages de Sesame Street créés par Jim Henson.

CLUB DU LIVRE RUE SÉSAME
Publié par Laffont Canada Ltée en collaboration
avec Children's Television Workshop.

Imprimé aux États-Unis. Tous droits réservés.
ISBN 2-89149-290-0.

Titre original: The City Worm and the Country Worm
Publié par Western Publishing Company Inc. en collaboration
avec C.T.W.
ISBN 0-307-23144-5

©1984 Children's Television Workshop.
Muppet characters©1984 Muppets, Inc.

«Hé! Tortillon,» dit Gargote. «Regarde, le dé à coudre est plein d'eau. Vas-y!»

Gargote voulait dire à Tortillon, son animal préféré, qu'il était temps de répéter son dernier numéro.

«Je ne peux plus attendre, j'ai tellement hâte d'en parler à tout le monde,» dit Gargote. «Je parie que personne n'a jamais vu un ver plonger dans un dé à coudre.»

Aussitôt, Tortillon grimpe tout en haut de l'échelle et se glisse jusqu'au bout du plongeoir. Il regarde en bas et aperçoit le dé à coudre rempli d'eau.

Il prend une grande respiration et plonge. Il arrive tête première dans le dé à coudre. Plouf!

«Quel plongeon superbe!» dit Gargote. «Encore un peu d'entraînement et tu seras prêt pour le grand jour.»

«Je suis content,» répond Tortillon en s'essuyant. «Et maintenant, je dois aller ranger ma chambre. Ma cousine Onduline, qui vit à la campagne, vient me rendre visite ce soir.»

«Tu veux ranger ta chambre?» crie Gargote. «Moi, quand mon cousin Débris vient me voir, je m'empresse de faire le désordre dans ma chambre.»

Le soir venu, Onduline arrive avec son sac à dos. Et la première personne qu'elle voit rue Sésame, c'est Gargote.

«S'il vous plaît, Monsieur,» dit-elle. «Je cherche mon cousin Tortillon. Est-ce qu'il habite près d'ici?»

«Ouais, répond Gargote, Tortillon habite justement là, dans cette boîte à chaussures.»

«Merci,» répond Onduline. «Dites-moi, est-ce qu'il y a toujours autant de bruit en ville?»

Gargote jette un coup d'oeil rue Sésame.

Partout, des camions et des voitures font ronfler leur moteur.

L'éboueur entrechoque les poubelles de métal.

Une voiture de police file à toute vitesse en faisant retentir sa sirène.

Un orchestre rock est en pleine répétition au rez-de-chaussée.

«Quel bruit?» demande Gargote. «Je n'entends rien. Quand on habite la ville, on s'habitue à vivre avec le bruit.»

Au même moment, Tortillon sort de sa boîte à chaussures.

«Cousine Onduline! Que c'est gentil de venir me voir!»

«Cousin Tortillon! Que je suis contente d'être ici!»

«Bienvenue à la grosse pomme,» dit Tortillon.

«Quelle pomme?» demande Onduline.

«Oh, c'est juste un nom drôle pour désigner notre grande ville,» dit Tortillon. «Nous, nous voyons notre ville comme une grosse pomme.»

Tortillon emmène Onduline dans sa chambre et l'aide à déballer ses affaires.

Onduline aime beaucoup la chambre de Tortillon. Elle admire sa plante sur le bord de la fenêtre, ses coussins sur le lit et son affiche qui dit «J'aime la rue Sésame».

Le lendemain, Tortillon fait visiter la ville à Onduline. Il l'emmène d'abord au musée des Vers de Terre. Dans la salle des échantillons de terre, ils découvrent vingt sortes de terre différentes.

Ils s'émerveillent devant les couleurs d'un magnifique mobile intitulé «Ver qui tourne au ralenti».

Après cette visite, Tortillon et Onduline vont prendre le déjeuner à un café-terrasse. Puis ils grimpent au sommet du panneau indicateur de la rue Sésame et admirent le panorama.

En soirée, ils se rendent au spectacle et obtiennent des places dans la première rangée. C'est la meilleure comédie musicale des vers de terre présentée en ville. (En réalité, c'est la seule comédie musicale des vers de terre présentée en ville.)

«La ville est très excitante même s'il y a beaucoup de bruit,» dit Onduline.

Le lendemain, Onduline doit retourner chez elle.

«Merci pour tout,» dit-elle à Tortillon. «J'espère que tu viendras me voir à la campagne.»

«Tu sais que je ne suis jamais allé à la campagne,» dit Tortillon.

«Est-ce qu'il y a beaucoup de musées, de spectacles, de café-terrasses comme ici?»

«Non, répond Onduline, nous avons beaucoup de calme et de tranquillité.»

Après le départ d'Onduline, Gargote montre à Tortillon l'affiche qu'il vient de terminer.

«La trouves-tu vraiment belle?» dit Gargote. «Je l'ai faite moi-même à la peinture.»

«Je ne savais pas que tu pouvais plonger dans un dé à coudre rempli d'eau,» dit Tortillon.

«Moi, je ne peux pas, c'est toi le plongeur,» dit Gargote.

«Alors pourquoi as-tu écrit sur ton affiche que c'est le spectacle de Gargote?» demande Tortillon.

«Parce que c'est moi qui ai fait l'affiche. Hé! Hé! Hé!»

«Ce n'est pas juste,» poursuit Tortillon. «Justement, je pense partir pour un long voyage. Tu peux donner le spectacle sans moi.»

Tortillon prépare ses bagages en se demandant où il pourrait bien aller. Tout à coup, il pense à sa cousine Onduline.

«Voilà, dit-il, je vais aller voir Onduline à la campagne. Là-bas, ce sera beau et paisible, pas de spectacle, pas d'affiche, pas de grincheux.»

Aussitôt, Tortillon se rend à l'arrêt d'autobus et se place dans la file.

En arrivant à l'adresse de sa cousine, Tortillon ne voit rien d'autre qu'une grosse pomme posée par terre. Où est la maison d'Onduline?

Mais quelle surprise quand il voit la tête d'Onduline sortir de la pomme.

«Cousin Tortillon! Que c'est gentil de venir me voir!»

«Cousine Onduline! Que je suis content d'être ici!»

«Bienvenue à la grosse pomme,» dit Onduline. «C'est comme ça que j'appelle ma maison.»

Onduline habite dans une vraie pomme. À l'intérieur de la pomme, il y a une pièce tout à fait sympathique.

Tortillon aime beaucoup la maison d'Onduline. Il admire les fleurs au centre de la table, la courte-pointe sur le lit et le tableau qui montre combien Onduline aime sa maison.

Le lendemain, Onduline emmène Tortillon faire une promenade dans la nature. Ils entendent craquer gentiment les feuilles sèches sous leurs pas. Puis, arrivés au bord d'un étang, ils plongent dans l'eau avec délice.

Le soir venu, ils s'endorment sous un ciel rempli d'étoiles.

Tortillon n'a jamais vu autant d'étoiles de sa vie. Mais il y a un petit problème. Tortillon n'arrive pas à s'endormir. C'est trop calme.

«Ah! Si seulement Gargote était ici, pense Tortillon, il ferait tellement de bruit que je pourrais m'endormir.»

Au petit matin, Tortillon et Onduline parlent de choses et d'autres quand soudain un merle vient se poser sur la branche d'un pommier.

Peut-être que le merle veut faire une sieste?

Peut-être qu'il veut chanter un peu?

Oh, non! Le merle surveille Tortillon et Onduline de près et il ne pense qu'à une chose.

PETIT DÉJEUNER!

«Voilà la vie rêvée!» dit Tortillon à Onduline.
«Pas de voiture, pas de camion, pas d'éboueur...»

Tout à coup, là-haut, il aperçoit un oiseau monstrueux qui plonge vers lui!

Tortillon, glacé de peur, fige sur place. Mais pas Onduline. Elle attrape Tortillon et le pousse dans un trou du sol. Le merle ne peut plus les atteindre.

Le merle parti, ils sortent du trou.

«Mais qu'est-ce que c'était donc?» crie Tortillon.

«Oh, c'était seulement Merle à gorge rousse,» dit Onduline.

«Tu le connais?» demande Tortillon.

«Je l'ai déjà vu,» répond Onduline. «Tu devrais voir tous les oiseaux qui vivent aux alentours: des oiseaux moqueurs, des merles, des mésanges. Quand on habite la campagne, on s'habitue à vivre avec les oiseaux.»

Mais pour Tortillon, un merle, ça suffit. Il décide que c'est le moment de rentrer chez lui.

«Je pense que je suis un ver de ville,» dit-il en se dirigeant vers l'arrêt d'autobus.

«J'aime vivre à la ville,» dit Tortillon.

«Moi, je pense que je suis un ver des champs,» dit Onduline. «J'aime vivre à la campagne.»

«Au revoir, cousine Onduline! Merci pour tout!»

«Au revoir, cousin Tortillon! Reviens bientôt!»

Tortillon rentre à la maison et aperçoit avec
surprise une affiche suspendue à la poubelle de
Gargote. BIENVENUE À LA MAISON,
TORTILLON

Cette affiche le rend heureux.

«Et alors, comment se porte le ver vagabond?»
demande Gargote.

«Je suis un peu fatigué de mon voyage en
autobus, répond Tortillon, mais j'aime beaucoup
ton affiche.»

«Ça alors, si tu trouves que cette affiche est belle, attends un peu de voir celle que j'ai préparée pour annoncer le spectacle,» dit Gargote.

Et il sort sa nouvelle affiche.

«Hum, je pense que je ferais mieux de me remettre à l'entraînement tout de suite,» dit Tortillon en souriant.

VENEZ VOIR
UN PLONGEON
SPECTACULAIRE
VENEZ VOIR
LE SPECTACLE
DE
TORTILLON

BIENVENUE
À LA
MAISON